LEVEL 1

2

333

영어

도서 구성

333 영어는 3개 레벨, 90일의 커리큘럼으로 구성되어 있습니다.
밝고 통통 튀는 조정현 선생님의 강의와 함께 학습을 진행하시면 됩니다.

Level 1

단어를 외우는 것만으로 자연스럽게 말하기는 어렵습니다. 외운 단어들이 어떤 상황에서 어떤 뉘앙스로 사용되는지를 정확히 알아야 비로소 말이 술술 나오게 됩니다. Level 1에서는 내가 아는 단어로 쉽게 말할 수 있는 문장들로 구성하여, 실생활에서 바로 사용할 수 있는 영어 회화 능력을 키울 수 있습니다.

Level 2

다 아는 단어인데 뜻이 전혀 다른 관용적 표현들이 있습니다. 이런 표현들만 잘 사용해도, 수준 높은 영어 회화가 가능합니다. Level 2는 다양한 관용적 표현을 활용해 쉽게 영어 수준을 높일 수 있는 문장들로 구성되어 있습니다.

Level 3

Level 3에서 소개하는 문장 30개만 잘 사용해도 영어 회화는 문제없습니다. 문장을 통째로 외우기는 쉽지 않지만, 외워야 할 때는 외워야 하죠. 효율적으로 외우면 부담도 훨씬 덜할 텐데요. Level 3는 사용 빈도가 높아 가성비 좋은 문장들을 선정하여, 영어 회화를 충분히 구사할 수 있도록 구성되어 있습니다.

목차

하루 3번, 각각의 다른 3가지 단계로 학습할 수 있도록 구성되어 있습니다.

☀ 아침

1 오늘의 상황을 그림으로 이해하고, 오늘의 표현을 우리말로 먼저 확인합니다.

2 나라면 이 상황에서 어떻게 영어로 말할 수 있을지, 내가 아는 영어로 나만의 문장을 적어 봅니다.

3 오늘의 대화를 통해 오늘 배울 표현이 어떻게 쓰였는지 대화 속 영어 문장을 통해 확인합니다. QR코드를 통해 원어민의 음성을 듣고, 발음과 억양도 꼭 확인하세요.

4 대화 속 상황을 잘 이해하였는지, 문제를 풀어보면서 확인합니다.

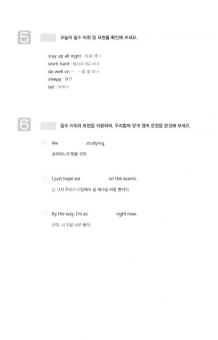

5 　오늘의 필수 어휘 및 표현을 확인해 보세요.

stay up all night : 밤을 새다
work hard : 열심히 (일) 하다
do well on ~ : ~을 잘 하다
sleepy : 졸린
tell : 말하다

6 　필수 어휘와 표현을 이용하여, 우리말에 맞게 영어 문장을 완성해 보세요.

(1) We _____ studying.
공부하느라 밤을 샜어.

(2) I just hope we _____ on the exams.
난 그저 우리가 시험에서 잘 해내길 바랄 뿐이야.

(3) By the way, I'm so _____ right now.
근데, 나 지금 너무 졸려.

7 　다음 문장을 3번 쓰고, 소리 내어 읽어 보세요.

Tell me about it.
내 말이.

①
②
③

8 　Tell me, 자체로는 "말해봐."라는 뜻이지만,
Tell me about it.은 "내 말이, 내 말이 딱 그 말이야."라는 뜻이에요.

비슷한 표현 하나 더 소개해 볼게요.
You can say that again. 이 문장의 의미는 "너는 그것을 다시 말 할 수 있다."가 아닌,
Tell me about it. 처럼 "내 말이, 전적으로 동의해."라는 뜻입니다.

9 　Tongue Twister [l] 과 [r] 발음

Willies' really weary. 윌리스는 참말로 피곤해요[지쳤어요].
[윌리스 뤨-리 위어리]

특히 l 과 r 발음에 주의해서
rice (쌀) vs. lice (이, 친닷…

Grammar　to 부정사를 좋아하는 동사
I decided to play it by ear. 에서 to 부정사가 쓰인 이유는 decide 동사 때문이에요.
이처럼 to 부정사를 써야 하는 동사들을 좀 더 알려 드릴게요.

want 원하다, hope 바라다, wish 소망하다, need 필요하다, plan 계획하다, expect 기대하다, decide 결정하다, choose 선택하다, ask 요청하다, agree 동의하다, arrange 준비하다, 정리하다 etc.

대체로 이런 동사들은 미래적인 의미를 지니고 있어요.

5 대화에서 등장한 필수 어휘와 표현을 확인해 보세요. 문장에서 쓰인 표현을 우리말로 확인해봅니다.

6 필수 어휘와 표현을 잘 이해하였는지, 문제를 통해 정확한 사용법을 익힙니다. 수, 시제, 인칭 등의 변화에 주의하면서 문제를 풀어봅니다.

7 오늘의 문장은 꼭 소리내서 읽고, 3번 써보세요. 눈으로, 손으로, 입으로 익히는 시간이 됩니다.

8 알아두면 좋은 꿀팁을 정리하였습니다. 아~ 이런 표현도 있구나! 하고 확인해두면 좋을 것 같아요.

9 차시를 마무리하며, 영어 발음에 도움이 되는 Tongue Twister 혹은 문법을 간단하고 쉽게 이해할 수 있도록 Grammar 등 다양한 코너를 준비하였습니다. 유용한 정보를 확인하며 학습을 마무리해 보세요.

학습을 마친 후, 학습 결과에 맞게 색칠해 보세요. 복습이 필요한 곳은 잊지 말고 복습을 진행해 주세요.

10 Days
Study
Calender

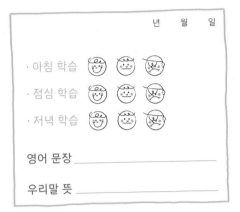

년 월 일

· 아침 학습
· 점심 학습
· 저녁 학습

영어 문장 _____

우리말 뜻 _____

년 월 일

· 아침 학습
· 점심 학습
· 저녁 학습

영어 문장 _____

우리말 뜻 _____

년 월 일

· 아침 학습
· 점심 학습
· 저녁 학습

영어 문장 _____

우리말 뜻 _____

년 월 일

· 아침 학습
· 점심 학습
· 저녁 학습

영어 문장 _____

우리말 뜻 _____

년 월 일

· 아침 학습
· 점심 학습
· 저녁 학습

영어 문장 _____

우리말 뜻 _____

                                           년   월   일

· 아침 학습   😄   😐   😖
· 점심 학습   😄   😐   😖
· 저녁 학습   😄   😐   😖

영어 문장 _____

우리말 뜻 _____

                                           년   월   일

· 아침 학습   😄   😐   😖
· 점심 학습   😄   😐   😖
· 저녁 학습   😄   😐   😖

영어 문장 _____

우리말 뜻 _____

                                           년   월   일

· 아침 학습   😄   😐   😖
· 점심 학습   😄   😐   😖
· 저녁 학습   😄   😐   😖

영어 문장 _____

우리말 뜻 _____

                                           년   월   일

· 아침 학습   😄   😐   😖
· 점심 학습   😄   😐   😖
· 저녁 학습   😄   😐   😖

영어 문장 _____

우리말 뜻 _____

                                           년   월   일

· 아침 학습   😄   😐   😖
· 점심 학습   😄   😐   😖
· 저녁 학습   😄   😐   😖

영어 문장 _____

우리말 뜻 _____

 웃는 얼굴 : 확실히 알아요.

 보통 얼굴 : 어느 정도 이해했어요.

 찡그린 얼굴 : 복습이 필요해요.

11 눈물이 앞을 가리는구만.

슬픈 일이 생겼을 때나 너무 기쁜 일이 생길 때, 감동받을 때 등등 눈물이 차오를 때가 있죠.
저는 심지어 로맨틱 코미디 영화나 애니메이션 영화를 보면서도 눈물을 잘 흘리는 편입니다.
(감수성 폭발..) 이번엔 눈물이 앞을 가린다는 표현을 알려드릴 예정이에요.

오늘의 문장을 어떻게 말할지, 나만의 영어로 먼저 적어보세요.

If it were me, I would say :

대화

A   I have some exciting news to share with you.

B   What's going on? Tell me.

A   You know what? I finally got a job in my dream company.

B   That's awesome! Congratulations! I know how hard you've been preparing for it.

A   Thank you so much! It's like a dream come true.

B   Yeah, I'm overwhelmed with happiness. I can't see through my tears. I'm so proud of you, honey.

01. 다음 중 대화 내용과 일치하는 것을 고르세요.

① A에게 안 좋은 일이 생겼다.

② B는 슬퍼서 눈물을 흘린다.

③ A는 목표를 위해 열심히 준비했다.

02. A와 B의 관계로 가장 적절한 것은 무엇인가요?

① 부부

② 직장동료

③ 경쟁자

03. 대화 내용 중 I'm overwhelmed with happiness. 대신 올 수 있는 문장을 고르세요.

① I'm overwhelmed with shame.

② I'm overwhelmed with joy.

③ I'm overwhelmed with fears.

- share with ∼ : ∼와 공유하다
- awesome : 굉장한, 어마어마한
- Congratulations! : 축하해(요)
- overwhelmed with ∼ : ∼로 압도된, 벅찬
- through : ∼을 통해

필수 어휘와 표현을 이용하여, 우리말에 맞게 영어 문장을 완성해 보세요.

01. I have some exciting news to _____ you.

당신과 함께 나누고 싶은 좋은 소식이 있어요.

02. That's _____! _____!

굉장하다! 축하해!

03. I'm _____ happiness.

행복감에 가슴 벅차다.

I can't see through my tears.

눈물이 앞을 가리는구만.

① _____

② _____

③ _____

꿀팁! "눈물이 앞을 가린다"는 표현을 더 알아볼까요 ?

- I get teary.
- Tears fill my eyes.
- I'm blurred with tears.

Tongue Twister th의 [θ] 발음 집중 연습

He **th**rew **th**ree free **th**rows. 그는 3개의 자유투를 던졌다.
[히 ㄸ루 ㄸ뤼 f뤼 ㄸ롸우ㅈ]

threw, three, throws 모두 [θ] 발음으로 시작합니다.
I can't see through my tears.의 through도 마찬가지로 [θ] 발음이죠.
하지만 의미는 모두 다른 단어이니, 정확히 발음하는 연습을 해보세요.

이게 얼마만의 휴식이냐~
뒹굴뒹굴 행복 그 자체!!!

주로 주말에 밀린 잠을 자기도 하고, 침대에서 뒹굴뒹굴하기도 하죠.
특별한 게 아니더라도, 이렇게 뒹굴거리면서 여유를 갖는 시간이 꽤 힐링시간이 되기도 하죠.
여기서 "뒹굴거렸다"는 말은 영어로 뭐라고 하면 좋을지 알려 드릴게요.

오늘의 문장을 어떻게 말할지, 나만의 영어로 먼저 적어보세요.

If it were me, I would say :

대화

A Hey, how was your weekend? You look great.

B Well, I didn't do anything special. I slept like a baby without a care in the world.

A That sounds good. I wish I could get a good night's sleep.

B Just staying under the covers can bring you much energy.

A You're right.

B Why don't you stay under the covers this weekend?

01. 다음 중 대화 내용과 일치하지 않는 것을 고르세요.

① B는 주말에 특별한 일정이 있었다.

② A는 숙면을 취하지 못한다.

③ B는 주말에 뒹굴거렸다.

02. 대화 내용 중 I slept like a baby.라는 건 무슨 뜻일까요?

① 잠을 뒤척였다.

② 잠을 푹 잤다.

③ 아기와 함께 자는 걸 좋아한다.

03. B의 말에 따르면, staying under the covers의 장점이 무엇인가요?

① 고민을 심도 있게 할 수 있다.

② 밤에 숙면할 수 있다.

③ 기력 회복에 도움 된다.

· look great : 좋아 보이다
· a care in the world : 세상에 근심[걱정]
· I wish I could 동사원형 : ～할 수 있으면 좋을텐데
· cover(s) : (침대)커버

필수 어휘와 표현을 이용하여, 우리말에 맞게 영어 문장을 완성해 보세요.

01. You _____ .

너 (얼굴/상태) 좋아 보인다.

02. He's sleeping without _____ .

그는 세상 걱정거리도 없이 잠을 자고 있네요.

03. I _____ I _____ play the drums.

드럼을 칠 수 있다면 좋겠어.

I stayed under the covers.

뒹굴거렸어.

① _____

② _____

③ _____

꿀팁! 대화 내용 중에는,

Just **staying under the covers** can bring you much energy.

Why don't you **stay under the covers** this weekend?

두 문장으로 소개되었죠?

"뒹굴거렸어."라는 말을 하기 위해서는 적절한 주어를 넣고, 과거시제로 바꿔야 합니다.

그래서 I stayed under the covers.가 완성된 것이죠.

Grammar I wish 가정법

I wish I could get a good night's sleep.

이 문장을 해석해 보면 "난 숙면을 취하면 좋겠어."라는 말입니다.

다시 말해, 현재 숙면을 취하지 못하는 상태라는 것이죠.

이렇게 **현재 상황에 대한 가정을 할 때** 쓰이는 'I wish 가정법 과거'입니다.

기본적인 구조는 [I with + 주어 + 과거동사]입니다.

· I wish I <u>were</u> a child. 내가 어린이라면 좋겠어.

· I wish I <u>could</u> dance well. 내가 춤을 잘 줄 수 있으면 좋겠어.

이처럼 밑줄 친 부분이 과거동사로 쓰여서 'I wish 가정법 과거'임을 알 수 있는 것이죠.

13 모든 건 변한다.

우리말에 "10년이면 강산도 변한다"는 말이 있죠. 모든 건 변한다는 뜻을 담고 있는 비유적인 표현입니다.

눈에 보이는 것이든, 보이지 않는 마음이든 다 변하기 마련이죠.

발전하고 변하는 속도가 점점 빨라지기 때문에, 때론, 따라가기에 어려움을 겪기도 합니다.

이렇게 "10년이면 강산도 변한다", "모든 건 변한다"는 말을 영어로 뭐라고 하는지 알려 드릴게요.

오늘의 문장을 어떻게 말할지, 나만의 영어로 먼저 적어보세요.

If it were me, I would say :

16

대화

A Have you seen the new cell phone advertisement?
I'm going to buy a new one soon.

B Oh, really? It must be nice.
Sometimes, however, I find it hard to keep up with all the smart devices.

A That's true. Honestly, it took me two weeks to master this phone.

B And then, something new comes along right away.

A Exactly! I know what you mean. Nothing stays the same.

B Everything seems to be changing so quickly.

01. 다음 중 대화 내용과 일치하는 것을 고르세요.

① A는 새로운 휴대폰을 샀다.

② B는 스마트 기기 전문가이다.

③ A는 B의 의견에 동의한다.

02. 대화 내용 중 I know what you mean.과 비슷한 표현을 골라보세요.

① You know what I mean.

② What do you say?

③ Tell me about it.

03. A가 말한, Nothing stays the same.의 뜻을 찾아보세요.

① Nothing changes.

② Everything changes.

③ Nothing makes us change.

- cell phone (cellular phone) : 휴대폰
- advertisement : 광고
- keep up with ~ : ~따라가다
- master : 숙달하다, 완전히 익히다
- come along : 나타나다, 생기다

필수 어휘와 표현을 이용하여, 우리말에 맞게 영어 문장을 완성해 보세요.

01. Have you seen the new _____ ad?

    새 휴대폰 광고 봤어?

02. It's hard to _____ all the changes.

    그 모든 변화들을 따라가기가 어렵다.

03. People want to _____ English in a short period of time.

    사람들은 짧은 기간에 영어를 마스터하고 싶어하죠.

18

Nothing stays the same.

10년이면 강산도 변하지. 모든 건 변한다.

① _____

② _____

③ _____

꿀팁! keep up with에 대한 추가설명!

대화 속에서 I find it hard to keep up with all the smart devices.라는 문장의 뜻은,
"그 모든 스마트 기기들을 따라잡기가 힘들어."라는 것이었죠.

그럼, 아래 문장들도 살펴 볼까요?
· I ran to keep up with him. 난 그를 따라잡으려고 달렸어요.
= I ran to follow him. (거리상 따라잡는다는 뜻)
· I tried my best to keep up with my schoolwork. 난 학교공부를 따라가려고 최선을 다했죠.
= I tried my best to catch up with my schoolwork.
이처럼 keep up with는 '거리상' 뿐 아니라 '진도를 따라잡다'는 의미로도 쓰여요.

Grammar 생동감을 더하는 부사

먼저, 다음 주어진 단어들을 소리 내어 읽어 보세요.

soon, really, sometimes, however, honestly, then, right away, exactly, so quickly

이들의 공통점은 바로 "부사(adverbs)"라는 거예요.
기본적으로 부사의 용법은 **동사나 형용사, 부사 및 문장 전체를 수식**한다고 배우셨을 거예요.
하지만 이번 대화를 통해, 부사들을 사용함으로 인해, 문장이 더 생동감 있어지고 자연스러운 대화를 하는데
도움된다는 것도 기억하세요.

월   일   요일

비밀을 잘 지키는 편이신가요? 저는 "입이 무겁다"고 자부합니다!!!
특히, 친한 친구의 연애상담을 하거나, 신중해야 하는 일일수록 더욱 비밀을 지켜야 하겠죠?
누군가에게 "비밀을 지켜달라"는 부탁을 받을 때,
"비밀 꼭 지키겠다"는 약속의 말을 할 줄도 알아야 합니다. 함께 알아볼까요?

오늘의 문장을 어떻게 말할지, 나만의 영어로 먼저 적어보세요.

If it were me, I would say :

대화

Rose   Hey, Charlotte! How's life?

Charlotte Hi! Rose! I feel good. How about you?

Rose   I'm doing great. Well, I have something to tell you.
          Can you promise you won't tell anyone?

Charlotte Of course, trust me. What is it?

Rose   You know Ethan who I had a crush on?
          Last night, he texted me and we went on a date!

Charlotte That's amazing! I'm happy for you.
          As promised, I'll take it to the grave.

01. 다음 중 대화 내용과 일치하는 것을 고르세요.

   ① Rose는 짝사랑하던 사람이 있었다.

   ② Charlotte은 Ethan을 좋아한다.

   ③ Charlotte은 Ethan에게 먼저 고백했다.

02. 대화 내용 중 How's life? 대신 올 수 있는 표현을 모두 고르세요.

   ① What's up?

   ② How are things?

   ③ Couldn't be better.

03. 대화 내용 중, "우린 데이트를 했어."를 뜻하는 문장을 고르세요.

   ① I'm doing great.

   ② He texted me.

   ③ We went on a date.

promise : 약속하다

trust : 신뢰하다, 믿다

have a crush on ~ : ~에게 반하다, 짝사랑하다

text : 글, 문자를 보내다

go on a date : 데이트 하다

우리말 뜻에 맞게, 빈 칸을 알맞게 채워 문장을 완성해 보세요.

(과거시제를 주의하세요.)

01. I _____ with James.

나 제임스랑 데이트했어.

02. Last night, I had a _____ Robin.

나 어제 밤, 로빈이랑 데이트했어.

03. I _____ you.

저는 당신에게 홀딱 반했어요.

04. I _____ you at first sight.

저는 첫눈에 당신에게 반했어요.

I'll take it to the grave.

비밀 꼭 지킬게.

① _____

② _____

③ _____

꿀팁! I'll take it to the grave. 그것(비밀)을 무덤까지 가져갈게.

"비밀 꼭 지킬게."라는 의미로 한결 익숙해지셨죠? 그럼, 대체할 수 있는 표현들 몇 가지 더 알려 드릴게요.

· My lips are sealed. 내 입술은 봉인되었다.
· I will keep the secret. 그 비밀 잘 보존할게.

반면, 비밀을 잘 못 지키는 사람은 뭐라고 할까요?

· He is a big mouth. 그는 입이 커.

물론, 입이 크다는 의미도 되지만, 추상적으로 "입이 가볍다"는 의미로
BE a big mouth 또는 HAVE a big mouth를 씁니다.

Proverbs '말'에 관련된 속담

'말'에 관련된 속담을 읽고, 장면을 상상해 보세요.

* 낮말은 새가 듣고, 밤 말은 쥐가 듣는다. Walls have ears.
* 발 없는 말이 천 리 간다. Bad news travels fast.
* 가는 말이 고와야 오는 말이 곱다. What goes around comes around.
                                Nice words for nice words.
* 말을 앞 세우지 말라. Think today and speak tomorrow.

주문한 음식을 음식점에서 다 먹지 못하면, 포장해서 오는 경우가 많이 있습니다.

우리나라에선 "테이크아웃"이라는 말이 익숙하죠.

물론, Take out이라는 표현도 매우 좋습니다. 하지만, 그 외에 빈번히 쓰이는 표현들을

실감나게 알아보도록 할게요.

오늘의 문장을 어떻게 말할지, 나만의 영어로 먼저 적어보세요.

If it were me, I would say :

_____

> **대화**
>
> A   Excuse me, could I have a shrimp burger and a coke, please?
>
> B   Sure, our shrimp burger is a popular choice. Here or to go?
>
> A   To go, please!
>
> B   No problem. Your shrimp burger and coke will be wrapped to go right away. And the buzzer will let you know when your order is ready.
>
> A   Thank you very much.

01. 다음 중, 위의 대화가 이루어지는 장소로 가장 적절한 곳을 고르세요.

① 교실

② 패스트푸드 음식점

③ 백화점 의류매장

02. 대화 내용 중 No problem. 대신 올 수 있는 표현을 고르세요.

① What's up?

② Of course not.

③ Of course.

03. 대화 내용 중, right away 대신 올 수 있는 표현을 모두 고르세요.

① immediately

② soon

③ rightly

· Could I have ~? : ~주세요
· Here or to go? : 여기서 드실건가요, 가져가실건가요?
· wrap : 싸다, 포장하다
· right away : 즉시, 당장
· buzzer : 버저, 진동벨

정중하게 요청하는 문장을 완성한 후, 우리말로 해석해 보세요.

01. _____ some water?

    (_____)

02. _____ a spoon?

    (_____)

03. _____ a splash of milk in my coffee?

    (_____)

To go, please.
이거 포장 좀 해주세요.

① _____

② _____

③ _____

꿀팁! 이처럼 주문할 때, 요청할 때 Can you~?, Could you~?, please를 활용해서 말할 수 있어요. 포장해 달라는 다른 표현들도 추가로 알려 드릴게요.

- **Can you** wrap it? 포장해 주시겠어요?
- **Can you** wrap it(them) separately? 따로따로 포장해 주세요.
- **Could you please** gift-wrap it? 선물 포장해 주세요.

Tongue Twister [n] 발음 집중 연습

Nine **n**ice **n**ight **n**urses **n**ursing **n**icely. 친절하게 간호하는 아홉명의 친절한 야간 간호사들
[나인 나이ㅆ 나이ㅌ 너r써ㅆ 너r씽 나이쓸리]

이번엔 다소 수월한 문장이죠? 각 단어의 첫 음절에 강세를 주어 연습해 보세요.
그럼 뒷 음절은 자연스럽게 약화가 됩니다.
또한 [n]의 소리는 단순한 [나]가 아닙니다. 마치 [으나]처럼 시작되죠.

앞으로 잘 부탁드려요.
연락처 교환할까요?

저도 잘 부탁드려요.
앞으로가 기대되네요.
제 번호는 xxx-xxxx-xxxx.

학교나 직장에서 만나게 된 사람들과 전화번호를 서로 묻고 교환하게 되는 상황이 많이 있습니다.

가장 쉬운 표현으로, What으로 시작하는 문장을 떠올리게 되죠?

물론, 가능합니다만,

이번에는 그 외에 유용하게 쓰이는 표현들을 알려 드릴게요.

오늘의 문장을 어떻게 말할지, 나만의 영어로 먼저 적어보세요.

If it were me, I would say :

다음 대화를 듣고, 어떤 상황인지 문제를 풀며 추측해 보세요.

대화

Alex Hi, Jenna! How have you been? It's been a while since we last met.

Jenna Hey, Alex! Long time no see. Actually, I've been busy with some projects. By the way, your major is statistics, right?

Alex Yeah, that's true. Is there anything I can help you with?

Jenna Oh, please help me out. I'm not good with numbers.

Alex I'd love to. Do you have time tomorrow?

Jenna Yes, of course. Thanks a lot. Do you have my phone number?

Alex Uh-oh, I don't think so. Can we exchange numbers? Here's my number : 365-3333. And what's yours?

---

01. 다음 중, 위의 대화 내용을 통해 추론할 수 있는 것을 고르세요.

① Alex와 Jenna는 자주 만났다.

② Jenna의 전공은 통계학이다.

③ Alex와 Jenna는 내일 만날 것이다.

02. 대화 내용 중 Do you have time tomorrow? 대신 올 수 있는 표현을 고르세요.

① Is it for free tomorrow?

② Are you available tomorrow?

③ Do you have the time?

03. 대화 내용 중, I'd love to.의 의미를 골라보세요.

① 좋아.

② 그러고 싶지만 안돼.

③ 너를 사랑해.

- since : ~이래로
- by the way : 그런데
- major : 전공 / 주요한
- statistics : 통계학
- exchange : 교환, 주고받음 / 교환하다

필수 어휘와 표현을 이용하여, 우리말에 맞게 영어 문장을 완성해 보세요.

01. It's been a while _____ we last _____ .

우리 지난번에 만난 이래로 오랜만이다.

02. My _____ is business administration.

제 전공은 경영학입니다.

03. Can we _____ numbers?

전화번호 교환할까?

Can we exchange numbers?

전화번호 교환할까?

① _____

② _____

③ _____

꿀팁! 학교에서든 직장에서든, 전화번호를 교환해야 하는 상황이 자주 있습니다.

Can we exchange numbers? 외에 조동사 Can을 활용한 표현들을 알려 드릴게요.

· **Can I have** your (phone) number?

· **Can you tell me** your (phone) number ?

· **Can you let me know** your (phone) number?

Grammar ~한 이후로 오랜만이다

대화 초반에 It's been a while since we last met.이라는 문장 기억하시죠?

"우리 지난번에 만난 이래로 오랜만이다." 다시 말해, "오랜만이다"라는 뜻입니다.

과거에 만났던 시점 이후로 시간이 꽤 흘렀다는 말을 전할 때,

[have p.p. + since + 주어 + 과거동사] 구조가 자주 쓰입니다.

아래 문장을 완성하며 익혀보세요.

It's been a while _____ I _____ you last. 지난번에 널 본 후로 오랜만이다. (since/saw)

It's been a while _____ we _____. 지난번에 얘기한 후로 오랜만이다. (since/talked)

It's _____ ages _____ I went shopping. 내가 쇼핑한 지 오래되었다. (been/sinc)

월   일   요일

노래 잘 하시나요? 노래를 잘 하게 만드는 중요한 요소 중에 음정과 박자를 빼 놓을 수가 없죠.

박자는 영어로 뭐라고 하나요? Drop the beat! 많이 들어보셨죠? 박자는 beat(s)를 떠올리시면 됩니다.

I can get the beat right. ↔ I'm not good at following the beat.

나는 박자를 잘 맞춰.   난 박치야.

반면, "음정을 잘 맞추다", "음치이다" 이런 말은 영어로 어떻게 하면 좋을까요?

함께 알아보시죠.

오늘의 문장을 어떻게 말할지, 나만의 영어로 먼저 적어보세요.

If it were me, I would say :

대화

Steve La-la-la-la-la …

Lana Wow, your voice changes when you sing.

Steve Yeah, it does. I don't think it's good. I can't carry a tune, either.

Lana No way! I've listened to a lot of songs so I can recognize perfect pitch when I hear it. You have perfect pitch. Trust me.

Steve Thanks for the compliment. I'm getting more confident.

Lana Maybe it's gonna be more than just your hobby. Keep it up!

---

01. 다음 중, 위의 대화 내용을 통해 추론할 수 있는 것을 고르세요.

① Steve는 박자를 못 맞춘다.

② Lana는 Steve를 질투한다.

③ Steve는 음정을 잘 맞춘다.

02. 대화 내용 중 Thanks for the compliment. 대신 올 수 있는 표현을 고르세요.

① It's very kind of you to say so.

② Thanks for the advice.

③ Thanks for the heads-up.

03. 대화 내용 중, Keep it up!의 의미를 골라보세요.

① 위를 봐!

② 계속해!

③ 비밀리에 진행해!

when : ~할 때
carry a tune : 음정을 맞추다
recognize : 알아보다, 인식하다
pitch : 음 (tone), 경기장, 최고조
compliment : 칭찬

필수 어휘와 표현을 이용하여, 우리말에 맞게 영어 문장을 완성해 보세요.

01. Your voice changes _____ you sing.

넌 노래할 때 목소리가 바뀌는구나.

02. I don't think I can _____.

난 음정을 못 맞추는 것 같아.

03. Thanks for the _____.

칭찬해 줘서 고마워.

You have perfect pitch.

음정 좋은데?

① _____

② _____

③ _____

꿀팁! 음치, 박자치에 이어 "몸치"는 영어로 어떻게 표현할까요?

마치 왼발이 두 개 있는 것 같이 영 이상한 몸동작을 떠올리시면서,

I have two left feet.라고 하면 됩니다.

Tongue Twister [k] & [tʃ] 발음 집중 연습

[k]와 [tʃ] 발음을 연습해 보세요.

I saw a **k**itten eating **ch**i**ck**en in the **k**it**ch**en. 난 부엌에서 치킨을 먹고 있는 아기 고양이를 봤어.

[아이 써-어 키튼 이링 취끈 인더 키췬-]

kitten의 첫 소리는 [k]

chicken의 첫 소리는 [tʃ], 두번째 음절의 소리는 [k]

kitchen의 첫 소리는 [k], 두번째 음절의 소리는 [tʃ]

헷갈리지 않게 여러 번 연습해 보세요.

18 목소리 좀 낮춰주세요.

해도 해도 너무하네.
노이즈캔슬링 이어폰도 소용이 없네.
한마디 해야겠어~

하하하

냐하하

정숙

○○도서관

지하철, 버스, 기차, 또는 도서관 같은 공공장소에서 소란스럽게 굴며 가끔 비매너를 보이는 사람들이 있죠.

결국 주위 사람들에게 피해를 주죠.

특히, 큰 소리로 전화통화를 하거나 영상이나 음악을 크게 틀어 놓는 경우를

종종 보게 되는데, 그냥 참지 말고, 매너 있게 소리를 낮춰 달라고 요청할 수 있어야겠죠? 영어로 어떻게 표현

하는지 알려 드릴게요.

오늘의 문장을 어떻게 말할지, 나만의 영어로 먼저 적어보세요.

If it were me, I would say :

대화

A What game are you playing? Oh no... it looks too violent.

B (In a loud voice) Yap! Yap! Gees, there're too many zombies!!!

C (whispers) Excuse me, please keep it down a bit. I'm trying to read a book.

B Oh, I'm so sorry.

A I didn't realize I was being loud. I'll lower my voice.

C Okay, fine.

A (Speaking to B) Hey, we need to be a bit quiet in public places.

B My bad...

01. 다음 중, 위의 대화 내용을 통해 추론할 수 없는 것을 고르세요.

① 공공장소에 있다.

② B의 목소리가 매우 컸다.

③ 세 사람이 싸우고 있다.

02. 대화 내용 중 Please keep it down a bit. 대신 올 수 있는 표현을 고르세요.

① Could you save my seat?

② Could you please lower your voice?

③ Please turn it up a little.

03. 대화 내용 중, My bad...의 의미를 골라보세요.

① 미안해…

② 짜증나네…

③ 고소하네…

· violent : 폭력적인
· keep it down : 목소리를 낮추다
· realize : 깨닫다, 알아차리다
· loud : 큰, 시끄러운
· lower : 더 낮은 / ～을 낮추다

필수 어휘와 표현을 이용하여, 우리말에 맞게 영어 문장을 완성해 보세요.

01. Could you please _____ your voice _____?

목소리 좀 낮춰 주시겠어요?

02. Please _____ it _____ a bit.

목소리 좀 낮춰 주세요.

03. Please _____ your voice.

목소리 좀 낮춰 주세요.

Please keep it down.

목소리 좀 낮춰 주세요.

① _____

② _____

③ _____

꿀팁! 조용히 해 달라는 말로 가장 먼저는, Be quiet!라는 명령문이 생각나셨을 거예요.

하지만 Be quiet!는 "조용히 해!"라는 다소 강한 어조로 느껴집니다.

그래서 학교나 학원에서 자주 쓰이는 것이고,

반면, 이번에 배운 Please keep it down. 혹은 Please lower your voice.라는 말은 완곡한 표현인 것입니다.

Grammar look + 형용사: ~해 보인다!

대화 속에서 친구가 하고 있는 좀비 게임을 보며, It looks too violent!라고 했죠.

"너무 잔인해 보인다!"라는 뜻이었습니다.

이처럼, "~해 보이다"라는 말을 [look + 형용사] 구조로 많이 씁니다.

2형식 구조이기도 하죠. 그럼, 아래 예문을 완성해 보세요.

It looks _____. 재미있을 것 같아 보인다. (fun)

You look _____. 너 괜찮아 보인다. (good/fine)

He looks _____ in that shirt. 그는 그 셔츠가 무척 잘 어울리네요. (great)

19 더 이상은 못 참아.

으하하하

으으...
더이상은 못참아!

TV

우린 매일 뭔가를 인내하면서 살아가고 있죠. 일이 될 수도 있고, 인간 관계일 수도 있고요.

참다 참다 인내심의 한계를 느낄 때, 뭐라고 하나요?

"더 이상은 못 참아!", "참을 만큼 참았어!" 라고들 말합니다.

영어에도 이에 해당하는 표현이 있습니다. 뭐라고 하면 좋을지 알려 드릴게요.

오늘의 문장을 어떻게 말할지, 나만의 영어로 먼저 적어보세요.

If it were me, I would say :

_____

_____

대화

A   Oh, no! How many times do I have to tell you to clean up your room?

B   It doesn't look messy. I'll do it later.

A   You always say that. Hey! It's too distracting!

B   Ok, I'll tidy it up soon. There's just one more game left.

A   That's enough! Enough is enough!

B   OK, I got it.

A   You need to take responsibility for your room. And having a clean space will help you stay less stressed.

B   Okay, Mom. I'll keep that in mind.

01. 다음 중, 위의 대화 내용을 통해 추론할 수 있는 것을 고르세요.

① 아들 방은 지저분하다.
② 엄마가 아들 방을 치워주셨다.
③ 아들은 공부 중이었다.

02. 대화 내용 중 messy 대신 올 수 있는 표현을 고르세요.

① clean   ② neat   ③ dirty

03. 방 정리의 장점으로 언급된 것을 고르세요.

① 공부가 더 잘되게 도와준다.
② 스트레스를 덜 받게 도와준다.
③ 잔소리를 덜 듣게 도와준다.

clean up : ~을 치우다, 청소하다

messy : 지저분한, 엉망인

distracting : 집중이 안되게 하는, 산만하게 하는

tidy up : ~을 깔끔히 정리하다

take responsibility for : ~을 책임지다

필수 어휘와 표현을 이용하여, 우리말에 맞게 영어 문장을 완성해 보세요.

01. You need to _____ your room.

너는 네 방을 책임져야 해.

02. We must _____ our words.

우린 우리 말을 책임져야 해.

03. I should _____ my work.

난 내 일을 책임져야 한다.

That's enough.
더 이상은 못 참아.

① _____

② _____

③ _____

꿀팁! 대화 중, 엄마가 That's enough.라고 한 직후, Enough is Enough.라고도 했죠.
Enough is enough.는 "더 이상은 안돼!"라는 말입니다.
두 문장이 연달아 나오는 게 매우 자연스러운 표현입니다.

Grammar 현재분사 vs. 과거분사

대화 속에서 나온, It's too distracting!는 "너무 산만하구나!"라는 뜻입니다.
아들의 방이 정리정돈이 안되고 지저분하니 이런 말을 한 거죠.
이번엔, I'm distracted.는 무슨 뜻일까요?
"(지저분한 방으로 인해) 내가 정신이 없게 된다."는 뜻입니다.

아래 문장 중에 "나는 신나."를 뜻하는 옳은 표현을 골라보세요.
❶ I'm exciting.　　　　❷ I'm excited.
둘 중에 답은? ❷번입니다.
이처럼 내가 어떤 이유로 인해 산만해 지거나 신나게 '되는' 상황에서는 distracted, excited처럼 **과거분사**를
쓰고, 반면에, 무언가 산만하거나, 신나게 '하는' 상황에서는 distracting, exciting처럼 **현재분사**를 쓴다는 거
예요.

하루에 "짜증 난다"라는 말을 얼마나 자주 쓰시나요?

긍정적인 것과는 거리가 먼 감정이지만, 우린 꽤 자주 이 말을 하며 살아갑니다.

교통 체증이 심할 때, 시끄러운 소리나 층간 소음에도 짜증이 나기 쉽죠.

그래서 이 말을 영어로 어떻게 할 수 있을지 알아보도록 할게요.

오늘의 문장을 어떻게 말할지, 나만의 영어로 먼저 적어보세요.

If it were me, I would say :

대화

A Hey, what's wrong with you? Why the long face?

B I got a flat tire on my way to work. I called the car insurance company to change the tire.

A That sounds frustrating.

B Tell me about it. So, I ended up being late for an important meeting.

A That's why I couldn't see you in the meeting room.

B Yeah, and my boss was not happy about it. I'm so annoyed.

A Come on. You've always worked hard. You don't have to worry so much.

01. 다음 중, 위의 대화가 이뤄질 수 있는 곳을 고르세요.

① school

② office

③ online store

02. 대화 내용 중 Why the long face?의 의미로 적절한 것을 고르세요.

① 얼굴이 왜 그렇게 길어졌어?

② 무슨 일 있어?

③ 뭐 때문에 놀랐어?

03. B가 지각한 이유가 무엇인가요?

① A를 못 만나서

② 보험 가입하느라

③ 바퀴가 펑크 나서

· flat : 평평한, 편평한
· on one's way : ~로 향하는 길
· insurance : 보험
· frustrating : 짜증 나는, 좌절스러운, 답답한, 속상한
· annoyed : 짜증 난, 속상한

다음 문장을 우리말로 해석해 보세요.

01. I had a flat tire on my way home.

      (   )

02. It was a frustrating situation.

      (   )

03. I get easily annoyed.

      (   )

다음 문장을 3번 쓰고, 소리 내어 읽어 보세요.

I'm so annoyed.

짜증 나네.

①

②

③

꿀팁!

I'm so annoyed. "짜증 나네."라는 표현이 익숙해지셨죠?
여기서 주의할 점은, I'm so annoying.이라고 하면 어색한 의미가 된다는 거예요.
Ving를 쓰면 "V하게 하는 사람"이라고 해석합니다.
I'm so annoying.은 "난 정말 (다른 사람을) 짜증 나게 하는 사람이야."라는 뜻이 돼요.

frustrating과 frustrated도 동일한 특성을 지닙니다.
(내가 어떤 일로 인해) 짜증나거나 답답함을 느낀다면, I'm frustrated.라고 해야 하죠.
I'm frustrating.은 "나는 (다른 사람을) 짜증 나게 한다."는 뜻입니다.

Broken English 무심코 쓰는 콩글리시

타이어 펑크	a punk tire (X)	a flat tire (O)
휴대폰	hand phone (X)	cellphone/mobile phone/cellular phone (O)
헬스장	heath club (X)	fitness club (O)
런닝머신	running machine (X)	tread mill (O)
셀카	self camera (X)	selfie (O)
클래식 음악	classic music (X)	classical music (O)
1 + 1	one plus one (X)	buy one, get one free (BOGO) (O)

My wallet is like an onion,
just opening it makes me cry.

내 지갑은 마치 양파같죠,
지갑을 열기만 해도 눈물이 나거든요.

정답 / 해설

11 눈물이 앞을 가리는구만.

대화

A: 좋은 소식이 있어.

B: 무슨 일이야? 말해봐.

A: 있잖아. 드디어 꿈꾸던 회사에 취직했어.

B: 대단해! 축하해! 얼마나 열심히 준비했는지 알아.

A: 정말 고마워! 꿈이 이루어진 것 같아.

B: 나도 너무 기뻐서 눈물이 나. 정말 자랑스러워, 자기야.

01 exciting news를 전하고 있으니 좋은 소식이고, I know how hard you've been preparing for it.이라는 문장으로 짐작해 볼 때, A는 그동안 열심히 준비했다.

02 대화 마지막에 I'm so proud of you, honey.라고 애칭까지 불렀으니 보기 중에 '부부'일 가능성이 가장 높다.

03 "뭔가에 압도되다"는 말을 be overwhelmed with something구조로 나타낼 수 있고, happiness 행복이라는 긍정적인 명사인 joy로 대체할 수 있다.

정답 p52   01 ③   02 ①   03 ②

   p53   01 share with   02 awesome｜Congratulations   03 overwhelmed with

12 뒹굴거렸어.

대화

A: 주말 어땠어? 정말 좋아 보여.

B: 별거 안 했어. 그냥 아기처럼 신경 안 쓰고 잠만 잤어.

A: 좋겠다. 나도 푹 잘 수 있으면 좋겠어.

B: 이불 속에만 있어도 에너지가 많이 생겨.

A: 맞아.

B: 이번 주말에 이불 속에만 있어보는 게 어때?

01 I didn't do anything special. I slept like a baby.라는 말을 보아 특별한 일 없이 집에서 쉬었다는 것을 알 수 있다.

02 I slept like a baby. "마치 아기처럼 잠을 잤다"는 말은 잠을 푹 잤다는 의미이다.

03 Just staying under the covers can bring you much energy. 라고 했으므로 기력 회복에 도움이 된다는 걸 알 수 있다.

정답 p56   01 ①   02 ②   03 ③

   p57   01 look great   02 a care in the world   03 wish｜could

13 모든 건 변한다.

대화

A: 새 핸드폰 광고 봤어? 나 곧 새 핸드폰 사려고 해.

B: 오, 정말? 좋겠다. 그런데 가끔은 모든 스마트 기기를 따라가기가 힘들어.

A: 맞아. 솔직히 이 핸드폰 배우는 데 2주 걸렸어.

B: 그리고 바로 또 새로운 게 나오지.

A: 맞아! 무슨 말인지 알아. 아무것도 그대로 있지 않아.

B: 모든 게 너무 빨리 변하는 것 같아.

01 I'm going to buy a new one soon.이라고 했으니 아직 구매하기 전이고, I find it hard to keep up with all the smart devices. 스마트 기기를 따라잡기 어렵다고 했으며, 대화 흐름을 보아 A, B 둘 다 빠르게 변하는 세상에 대한 같은 의견을 갖고 있다는 걸 알 수 있다.

02 ① 네 말이 뭔지 알아. ③ 내 말이.

03 아무것도 계속 똑같이 있지 않는다는 것이니, Everything changes.와 같다.

정답 **p60** 01 ③   02 ③   03 ②

p61 01 cell(cellular) phone   02 keep up with   03 master

14 비밀 꼭 지킬게.

대화

Rose: 헤이, 샬럿! 어떻게 지내?

Charlotte: 안녕! 로즈! 잘 지내. 너는 어때?

Rose: 나도 잘 지내. 사실, 할 말이 있어. 비밀로 해줄 수 있어?

Charlotte: 물론이지, 날 믿어. 무슨 일인데?

Rose: 내가 좋아했던 Ethan 알지? 어젯밤에 그가 문자 보내서 우리 데이트했어!

Charlotte: 대단해! 정말 기쁘다. 약속대로, 비밀 꼭 지킬게.

01 You know Ethan who I had a crush on? "내가 짝사랑하고 있던 Ethan 알지?"라는 말이므로 Rose는 Ethan을 좋아한다.

02 안부인사로 적절한 표현을 고르는 문제. ③은 안부를 묻는 질문에 대한 응답이니 ①, ②가 답이다.

03 go on a date는 "데이트를 하다"라는 의미의 숙어이다.

정답 **p64** 01 ①   02 ①, ②   03 ③

p65 01 went on a date   02 date with   03 had a crush on   04 had a crush on

15 이거 포장 좀 해 주세요.

대화

A: 저기요, 새우 버거 하나랑 콜라 주세요.

B: 알겠습니다. 저희 새우 버거는 인기 메뉴예요. 여기서 드시나요, 아니면 포장해 드릴까요?

A: 포장해 주세요.

B: 네, 새우 버거와 콜라 포장해 드리겠습니다. 주문이 준비되면 진동벨이 울릴 거예요.

A: 감사합니다.

01 Could I have a shrimp burger and a coke?에 이어, Our shrimp burger is a popular choice. Here or to go?라고 이어지는 상황을 보아, 패스트푸드 음식점임을 알 수 있다.

02 No problem. 문제 없어요. = Of course.로 흔쾌히 수락 및 동의하는 대답이다.

03 right away "당장, 즉시"와 의미가 같은 표현을 골라야 한다. ① 즉시 ② 곧 ③ 옳게

정답 p68 01 ②   02 ③   03 ①, ②

p69 01 Could I have | 물 좀 주시겠어요?   02 Could I have | 스푼 좀 주시겠어요?
03 Could I have | 제 커피에 우유 살짝 타 주시겠어요?

16 전화번호 교환할까?

대화

Alex: 안녕, 제나! 어떻게 지냈어? 우리 오랜만에 만나는 것 같아.

Jenna: 안녕, 알렉스! 오랜만이야. 사실, 프로젝트 때문에 바빴어. 그런데 네 전공이 통계학 맞지?

Alex: 응, 맞아. 도와줄 거 있어?

Jenna: 오, 그럼 나 좀 도와주라. 내가 숫자에 약해.

Alex: 물론이지. 내일 시간 있어?

Jenna: 응, 물론. 정말 고마워. 내 전화번호 알아?

Alex: 어, 없는 것 같아. 번호 교환하자. 내 번호는 365-3333이야. 너 번호는?

01 It's been a while since we last met. 오랜만에 만났다는 걸 알게 해 주는 문장이며, Alex의 전공이 statistics 통계학이라고 말했으며, Alex가 Do you have time tomorrow? 라고 한 질문에, Jenna가 Yes라고 답했으므로 둘은 내일 만날 것이다.

02 내일 시간 있냐는 질문이니, Are you available tomorrow?로 대체 가능하다.
① 내일 그게 무료예요? ② 몇 시예요?

03 I'd love to. 좋다는 긍정의 뜻이다.

정답 p72 01 ③   02 ②   03 ①

p73 01 since | met   02 major   03 exchange

17 음정 좋은데?

대화

Steve: 라라라라라...

Lana: 와, 너 노래 부를 때 목소리가 바뀐다.

Steve: 응, 그래. 근데 좋은 것 같진 않아. 음정도 맞추지 못해.

Lana: 그럴 리 없어! 내가 노래를 많이 들어서, 완벽한 음정을 알아.

　　　 너는 완벽한 음정 갖고 있어. 내 말 믿어봐.

Steve: 칭찬 고마워. 자신감 생기네.

Lana: 아마 취미 이상이 될 수도 있어. 계속해 봐!

01　Steve의 노래를 듣고 Lana가 You have perfect pitch.라며 칭찬을 아끼지 않았으니 ③이 정답이다.

02　compliment는 "칭찬"이란 뜻으로, "칭찬해 줘서 고마워"라는 말을 찾아야 한다.

　　① 그렇게 말해줘서 고맙다.

03　keep it up 계속하라는 응원의 말이다.

정답　**p76**　01 ③　　02 ①　　03 ②

　　　　　p77　01 when　　02 carry a tune　　03 compliment

18 목소리 좀 낮춰주세요.

대화

A: 무슨 게임 중이야? 오, 이런... 너무 폭력적인 것 같아!

B: (큰 소리로) 예! 예! 좀비가 너무 많아!!!

C: (작은 목소리로) 저기, 조금만 조용히 해줄래요? 책 읽고 있어요.

B: 아, 정말 죄송해요.

A: 내가 그렇게 시끄러웠던 걸 몰랐어요. 목소리 낮출게요.

C: 네, 알겠어요.

A: (B에게) 야, 공공장소에서는 좀 조용히 해야 해.

B: 내 잘못이야…

01　대화의 마지막 부분에서 We need to be a bit quiet in public places.라는 말을 통해 공공장소임을 알 수 있다.

02　keep it down은 "소리를 줄이다"라는 뜻이며, lower one's voice는 "목소리를 줄이다"라는 뜻으로 동일한 표현이다.

03　My bad…는 상황을 보아, 사람들에게 민폐를 끼쳐서 미안함을 표현한 말이다.

정답　**p80**　01 ③　　02 ②　　03 ①

　　　　　p81　01 keep | down　02 keep | down　03 lower

19 더 이상은 못 참아.

대화

A: 오, 안돼! 방 좀 치우라고 몇 번이나 말해야 돼?

B: 그렇게 지저분하지 않은데요. 나중에 할게요.

A: 너 항상 그렇게 말하잖아. 너무 산만해!

B: 알겠어요, 곧 치울게요. 게임 한 판만 더 하고요.

A: 이제 그만! 더 이상은 못 참아.

B: 아, 알았어요.

A: 네 방은 네가 책임져야지. 깨끗한 공간이 스트레스를 덜 받게 도와주는 거야.

B: 알겠어요, 엄마. 명심할게요.

01 How many times do I have to tell you to clean up your room? 방을 치우라고 몇 번을 말해야 하나며 화를 내는 분위기이므로 아들 방은 지저분하다.

02 messy는 "더러운"이란 의미이다. ② 깔끔한 ③ 더러운

03 Having a clean space will help you stay less stressed.이라는 문장에서 스트레스를 덜 받게 도와줌을 알 수 있다.

정답 **p84** 01 ① 02 ③ 03 ②

p85 01 take responsibility for 02 take responsibility for
03 take responsibility for

20 짜증나네.

대화

A: 무슨 일이야? 왜 이렇게 우울해 보여?

B: 출근길에 타이어가 펑크 났어. 타이어 수리하려고 자동차 보험회사에 전화했어.

A: 그거 정말 짜증 났겠다.

B: 그러게 말이야. 그래서 중요한 회의에 늦었어.

A: 그래서 회의실에서 널 못 봤구나.

B: 응, 그 일로 팀장이 화났어. 너무 짜증나.

A: 괜찮아, 너 항상 열심히 일하잖아. 너무 걱정할 필요 없어.

01 I got a flat tire on my way to work. That's why I couldn't see you in the meeting room. 이라는 대화에서 사무실임을 알 수 있다.

02 상대방에게 무슨 일인지 물어보는 질문이다. What's the matter with you?와도 같은 표현이다.

03 I got a flat tire. 문장을 통해 타이어 펑크 났음을 알 수 있다.

정답 **p88** 01 ② 02 ② 03 ③

p89 01 집에 오는 길에 타이어가 펑크 났어. 02 짜증 나는 상황이었지.
03 난 쉽게 짜증이 나요.

MEMO

333 영어 LEVEL1_2

초판 1쇄 인쇄   2024년 11월 25일
초판 1쇄 발행   2024년 12월 9일

지은이	조정현
발행인	임충배
홍보/마케팅	양경자
편집	김인숙, 왕혜영
디자인	이경자
펴낸곳	도서출판 삼육오(PUB.365)
제작	(주)피앤엠123

출판신고 2014년 4월 3일
등록번호 제406-2014-000035호

경기도 파주시 산남로 183-25
TEL 031-946-3196 / FAX 031-946-3171
홈페이지   www.pub365.co.kr

ISBN 979-11-92431-80-2 14740
© 2024 조정현 & PUB.365